Une onde de
Calme

Le bien-être à la portée
de vos sens

Dépôt légal : 3e trimestre 2011
Bibliothèque nationale et Archives du Québec
Bibliothèque nationale du Canada

© Éditions Coup d'œil

Recherche textuelle et musicale :
Nicolas Zorzin

Conception graphique :
Marjolaine Pageau
Marie-Claude Parenteau

Imprimé en Chine

ISBN : 978-2-89638-526-3

Une onde de Calme

Le bien-être à la portée
de vos sens

Les Éditions
Coup d'oeil

La règle du sage, pour gouverner, est d'ouvrir les cœurs
et d'emplir les ventres.

Lao-Tseu

Les arbres ont le cœur infiniment plus tendre que celui des hommes qui les ont plantés.

L'amitié sans confiance, c'est une fleur sans parfum.

Laure Conan

La beauté des mères dépasse infiniment la gloire de la nature.

Christian Bobin

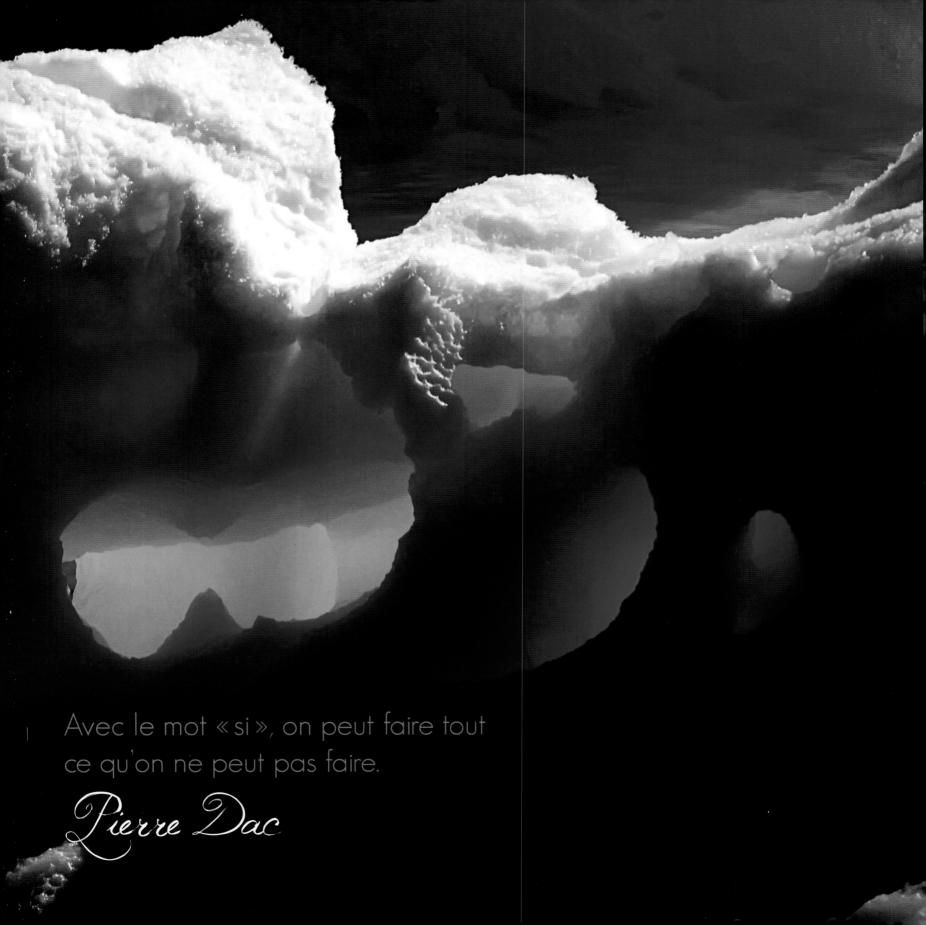

Avec le mot « si », on peut faire tout
ce qu'on ne peut pas faire.

Pierre Dac

La beauté des choses
existe dans l'esprit
de celui qui les contemple.

David Hume

La paix n'est pas un don de Dieu à ses créatures. C'est un don que nous nous faisons les uns aux autres.

Elie Wiesel

L'âme n'aurait pas d'arc-en-ciel si les yeux n'avaient
pas de larmes.

John Vance Cheney

Qu'importe le temps
Qu'emporte le vent
Mieux vaut ton absence
Que ton indifférence.

Serge Gainsbourg

Même la gloire du fleuve
s'achève à la mer.

Proverbe russe

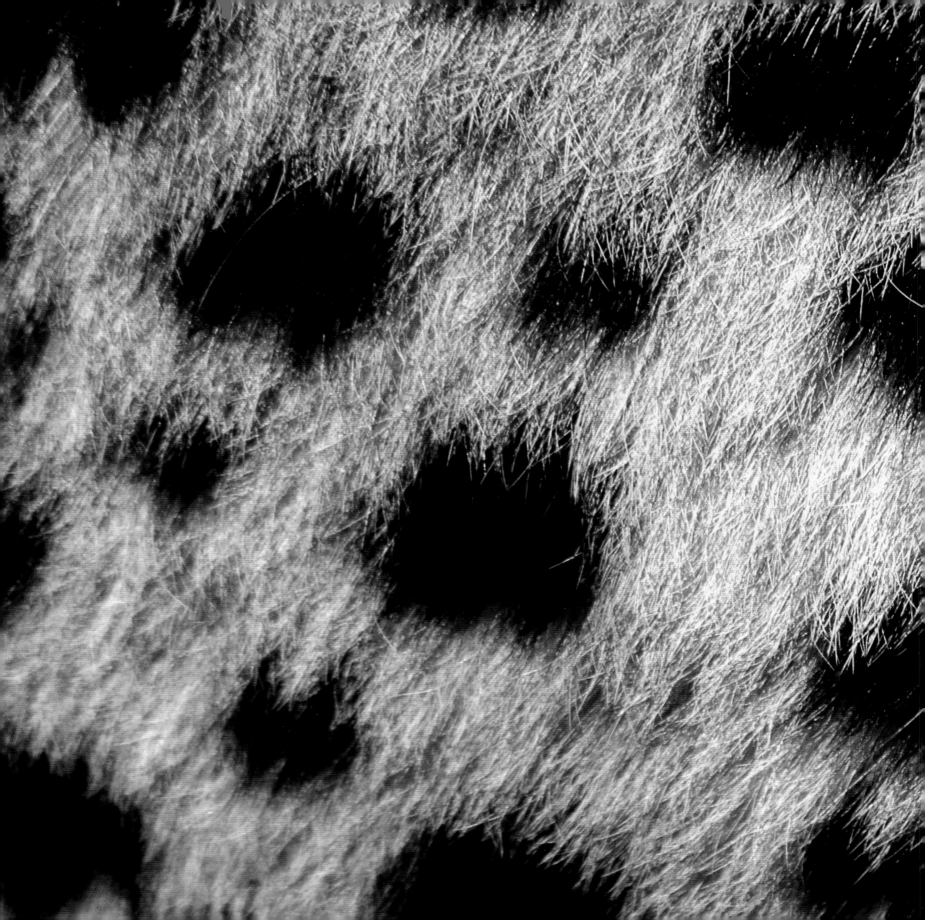

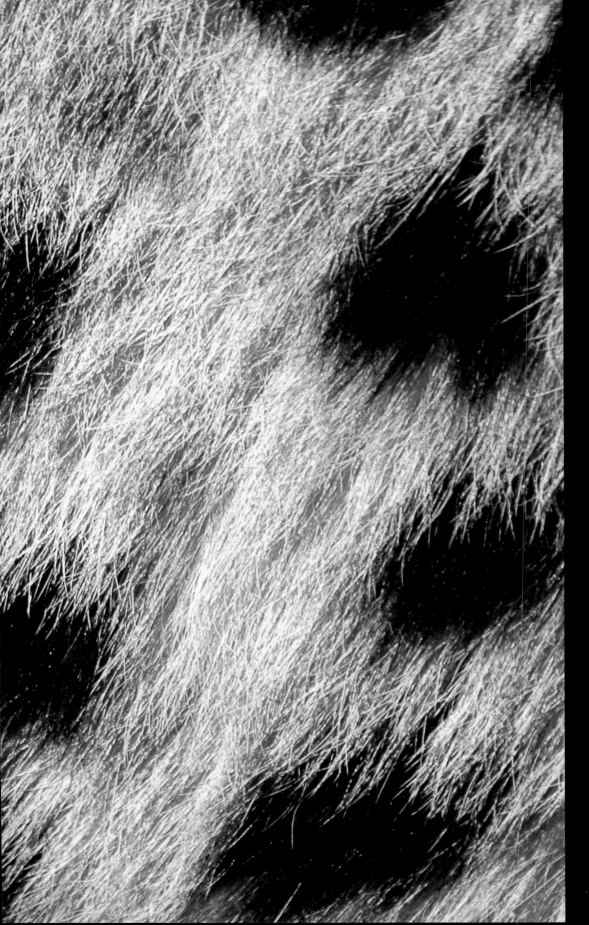

Je n'admire jamais
tant la beauté que
lorsqu'elle ne sait
plus qu'elle est belle.

André Gide

C'est grâce aux risques que l'on prend que la vie devient vivable.

Charlotte Rampling

Il n'est rien de si beau que la sincérité. Mais souvent,
ce qu'on croit n'est pas la vérité.

Destouches

Là où on s'aime, il ne fait jamais nuit.

Proverbe africain

La beauté touche les sens
et le beau touche l'âme.

Joseph Joubert

La fidélité est avant tout
une question d'amour.

Suzanne Ratelle-Desnoyers

La motivation vous sert
de départ. L'habitude
vous fait continuer.

Jim Ryun

Le moyen d'acquérir la justice parfaite, c'est de s'en faire une telle habitude qu'on l'observe dans les plus petites choses, et qu'on y plie jusqu'à sa manière de penser.

Montesquieu

Il faut apprendre à rester serein au milieu de l'activité et à être vibrant de vie au repos.

Gandhi

La vraie générosité envers l'avenir consiste
à tout donner au présent.

Albert Camus

L'idéal de la vie n'est pas
l'espoir de devenir parfait,
c'est la volonté d'être toujours meilleur.

Ralph Waldo Emerson

Celui qui a le choix a aussi
le tourment.

Proverbe allemand

Le monde est né de l'amour, il est soutenu par l'amour,
il va vers l'amour et il entre dans l'amour.

Saint François de Sales

Le bonheur est à votre foyer ; ne le cherchez pas dans le jardin des étrangers.

Douglas Jerrold

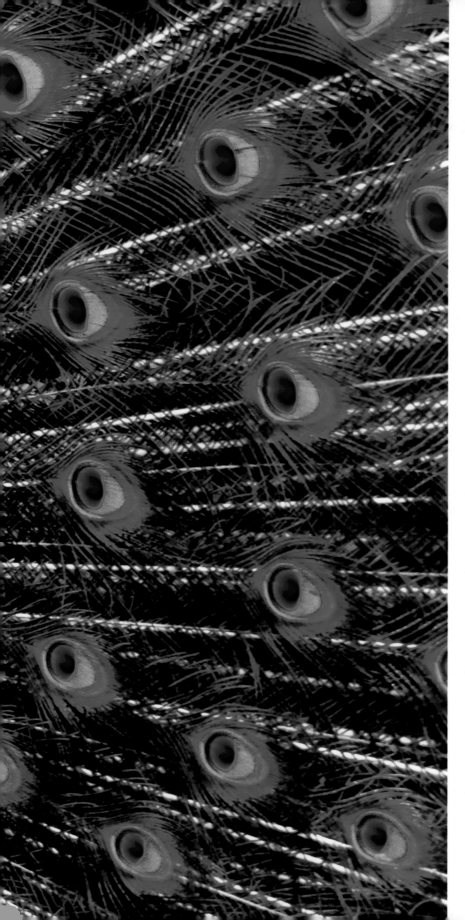

Au royaume de l'espoir,
il n'y a pas d'hiver.

Proverbe russe

Le désarmement extérieur passe par le désarmement intérieur.
Le seul vrai garant de la paix est en soi.

Dalaï-Lama

La vraie pudeur est de
cacher ce qui n'est pas beau
à faire voir.

Georges Courteline

Le jeune homme qui court après la gloire n'a aucune idée de ce qu'est la gloire. Ce qui donne un sens à notre conduite nous est toujours totalement inconnu.

Milan Kundera

La tâche est plus belle où le risque est plus grand.

Lionel Groulx

La vieillesse, c'est l'hiver pour les ignorants, et le temps des moissons pour les sages.

Proverbe juif

L'égoïsme à l'état sauvage fait de l'homme une brute
sans pitié, mais dompté par l'amour, il est source de beauté
et de grandeur d'âme. L'amour de soi ne peut s'épanouir
que s'il sait s'agrandir suffisamment pour englober les autres.

Doric Germain

Le mariage, c'est l'art pour deux personnes de vivre ensemble aussi heureuses qu'elles auraient vécu chacune de leur côté.

Georges Feydeau

Les fleurs, c'est toujours un cadeau du destin. Il faut les prendre simplement, sans même se demander pourquoi elles nous arrivent.

Jean-François Somcynsky

Dieu sait que nous n'avons jamais à rougir de nos larmes, car elles sont comme une pluie sur la poussière aveuglante de la terre qui recouvre nos cœurs endurcis.

Charles Dickens

L'enfance trouve son paradis dans l'instant.
Elle ne demande pas du bonheur. Elle est le bonheur.

Louis Pauwels

Celui qui a la prétention
d'enseigner ne doit
jamais cesser d'apprendre.

John Cotton Dana

L'homme regarde la fleur ; la fleur sourit.

Kōan zen

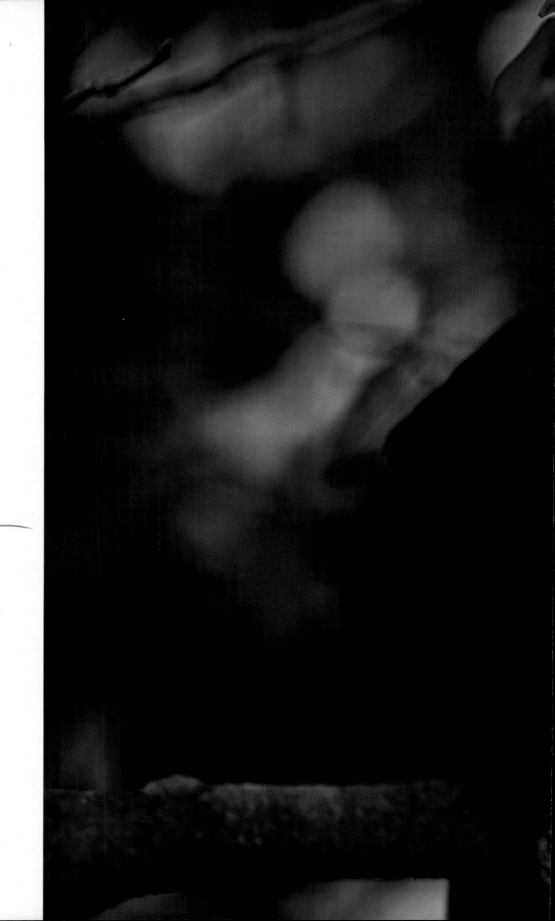

La liberté, c'est de ne
jamais avoir à dire
qu'on est désolé.

Sidney Lumet

Il n'est point de secrets que le temps ne révèle.

Jean Racine

L'espérance, c'est croire que la vie a un sens.

L'abbé Pierre

Votre véritable ami est celui qui ne vous passe rien et qui vous pardonne tout.

Diane de Beausacq

L'amour est-il un mal
dont on puisse guérir ?

Marquis de Sade

Le verbe aimer est difficile à conjuguer : son passé n'est pas simple, son présent n'est qu'indicatif et son futur est toujours conditionnel.

Jean Cocteau

Le plaisir n'est pas un mal en soi,
mais certains plaisirs apportent plus
de peine que de plaisir.

Épicure

Se donner du mal pour les petites choses,
c'est parvenir aux grandes avec le temps.

Samuel Beckett

Qui a confiance
en soi conduit
les autres.

Horace

Face à la catastrophe,
on a besoin de culture.

Martine Mairal

À esprit libre, univers libre.

Kōan zen

Ce qu'un père peut faire de plus important pour ses enfants, c'est d'aimer leur mère.

Théodore Hesburgh

Le devoir est une série
d'acceptations.

Victor Hugo

Le moteur est le cœur d'un avion, mais le pilote est son âme.

Walter Alexandre Raleigh

Qui n'a pas vu la route à l'aube, entre ses deux rangées d'arbres, toute fraîche, toute vivante, ne sait pas ce que c'est que l'espérance.

Georges Bernanos

Boire et manger maintiennent l'âme et le corps rassemblés.

Heinrich Boll

Humble comme un agneau, diligente comme une abeille,
belle comme un oiseau de paradis, fidèle comme une tourterelle.

Proverbe russe

Ne vous souciez pas d'être sans emploi ;
souciez-vous plutôt d'être digne d'un emploi.

Confucius

Cuisiner suppose une tête légère,
un esprit généreux et un cœur large.

Paul Gauguin

Les jouissances de l'esprit sont faites pour calmer
les orages du cœur.

Madame de Staël

Le désir et le rêve sont à la base de l'accomplissement de toutes choses.

Antoine Marcel

Toute amitié doit être recherchée pour elle-même.
Elle a cependant l'utilité pour origine.

Épicure

L'amour n'est pas un sentiment. C'est un art.

Paul Morand

Entre les désirs et leurs réalisations s'écoule toute
la vie humaine.

Arthur Schopenhauer

Aie confiance en toi-même, et tu sauras vivre.

Johann Wolfgang von Goethe

La discorde est le plus grand mal
du genre humain et la tolérance
en est le seul remède.

Voltaire

Un peu d'amour, c'est comme un peu de bon vin...
Trop de l'un ou trop de l'autre rendent un homme malade.

John Steinbeck

Le premier soupir de l'amour est le dernier de la sagesse.

Antoine Bret

La jalousie aveugle un cœur atteint et, sans examiner,
croit tout ce qu'elle craint.

Pierre Corneille

La compréhension est le plus grand cadeau qu'un être humain puisse faire à un autre.

Christine Orban

Fais du bien à ton corps
pour que ton âme ait
envie d'y rester.

Proverbe indien

L'amour fait passer le temps, le temps fait passer l'amour.

Proverbe italien

Amours de nos mères, à nul autre pareil.

Albert Cohen

Le temps de lire est toujours du temps volé. C'est sans doute la raison pour laquelle le métro se trouve être la plus grande bibliothèque du monde.

Daniel Pennac

Celui qui a un ami véritable n'a pas besoin d'un miroir.

Proverbe indien

Une des qualités fondamentales pour vivre à deux,
c'est la générosité.

Marc Levy

On peut faire beaucoup avec la haine, mais encore plus avec l'amour.

William Shakespeare

Une larme suffit pour mieux voir.

Marc Gendron

Un petit chez soi vaut mieux qu'un grand chez les autres.

Proverbe français

Le voyage est ma maison.

Muriel Rukeyser

Les roses poussent
parmi les épines.

Proverbe latin

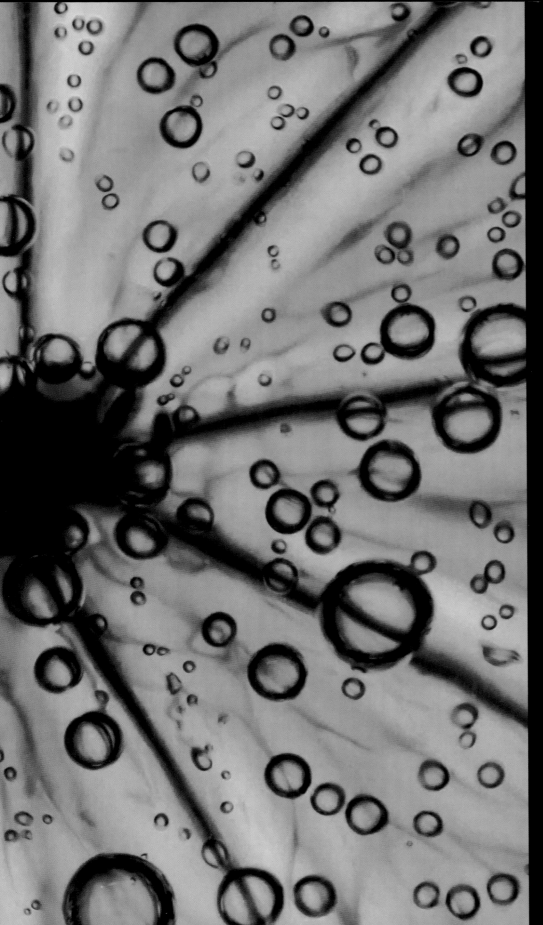

La mémoire,
c'est l'imagination
à l'envers.

Daniel Pennac

Comme une rose, un enfant, c'est à la fois fragile et solide ;
ça émerveille et ça étonne !

Roland Delisle

Suis le conseil de celui qui te fait pleurer,
et non de celui qui te fait rire.

Proverbe arabe

Écrire à quelqu'un est la seule manière de l'attendre
sans se faire de mal.

Alessandro Baricco

L'amour d'un enfant est le plus pur qui soit.

Björk

Jamais on n'a vu marcher
ensemble la gloire et le repos.

Chamfort

Il n'est pas d'amour qui résiste à l'absence.

Anatole France

L'apaisement réside en chacun de nous.

Dalaï-Lama

L'ironie est un élément du bonheur.

Jules Renard

La vraie sagesse est de ne pas sembler sage.

Eschyle

Le sens de la vie, c'est justement de s'amuser avec la vie.

Milan Kundera

Après m'avoir appris à parler, mes parents m'ont appris à me taire.

Proverbe sioux

L'homme est une prison où
l'âme reste libre.

Boris Vian

L'amour est un égoïsme à deux.

Madame de Staël

C'est une perle rare
en ce monde que d'avoir
un cœur sans désir.

Bouddha

La tolérance est la charité de l'intelligence.

Jules Lemaître

La mère aime tendrement,
le père solidement.

Proverbe italien

Les erreurs sont les portes de la découverte.

James Joyce

La vie humaine est une rosée passagère.

Proverbe japonais

La chanson, c'est le dernier refuge de la tradition orale.

Maxime Le Forestier